KB166757

법이 존재하지 않는다면

브리지뜨 라베는 작가입니다. **피에르 프랑수아 뒤퐁 뵈리에**는 소르본 대학에서 철학을 가르치고 있어요. **자크 아잠**은 일러스트레이터로 〈철학 맛보기〉 시리즈의 모든 그림을 그렸으며, 만화도 그리고 있습니다. 이 책을 우리말로 옮긴 **이은신** 선생님은 한성대학교에서 의상학을 전공하고, 파리 제1대학 팡테옹 소르본 대학원에서 응용 예술학 석사 학위를 받았습니다. 이후 프랑스 파리 무대의상학교(ATEC)를 졸업하고 지금은 아이를 키우며 전문 번역가로 활동하고 있습니다.

철학 맛보기 27 법이 존재하지 않는다면 — 권리와 의무

지은이 · 브리지뜨 라베, 피에르 프랑수아 뒤퐁 뵈리에 | **그린이** · 자크 아잠 | **옮긴이** · 이은신
첫 번째 찍은 날 · 2014년 1월 15일
편집 · 김수현, 문용우 | **디자인** · 박미정 | **마케팅** · 임호 | **제작** · 이명혜
펴낸이 · 김수기 | **펴낸곳** · 도서출판 소금창고 | **등록번호** · 2013-000302호
주소 · 서울시 마포구 포은로 56, 2층(합정동) | **전화** · 02-393-1174 | **팩스** · 02-393-1128
전자우편 · hyunsilbook@daum.net
ISBN · 978-89-89486-87-9 64860
ISBN · 978-89-89486-80-0 64860(세트)

철학 맛보기 ㉗ 권리와 의무

| 브리지뜨 라베 · 뒤퐁 뵈리에 지음 | 자크 아잠 그림 | 이은신 옮김 |

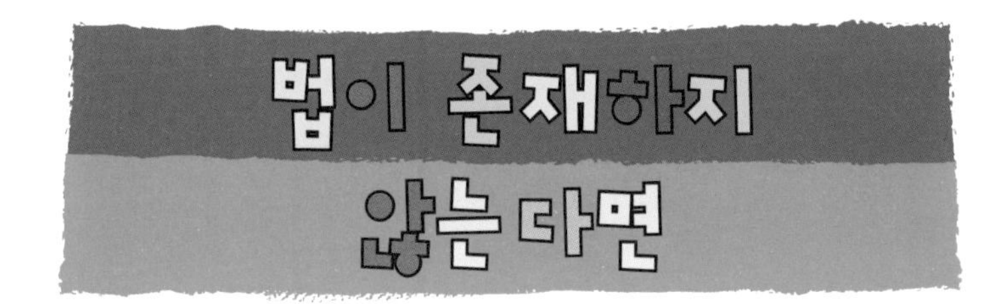

철학 맛보기의 메뉴

50
단속
카메라 주의

50
아이들 주의

의무 없는 행성

"이런! 또 허탕이잖아! 벌써 세 번째야! 도대체 이 영화관은 언제 문을 여는 거야?"

엘로디는 상영 시간표를 확인하며 투덜거렸어요. 그러자 디미트리가 말했어요.

"여기 사는 사람한테 물어보자."

엘로디는 때마침 지나가는 아저씨를 붙잡고 물었지요. 그 아저씨는 얘기를 듣더니 너털웃음을 터뜨렸어요.

"보아하니 너희들 지구별에서 왔구나! 여기서는 그런

시간표 따윈 아무도 신경 쓰지 않는단다."

"나중에 다시 오자. 언젠가는 문을 열겠지 뭐. 돈은 벌어야 할 테니까."

디미트리와 엘로디는 실망스럽기도 하고 놀라기도 했지만 일단 미니 우주선을 타고 호텔로 돌아가기로 했어요. 그런데 우주선이 한참 가다가 갑자기 멈추더니 승객들에게 내리라는 게 아니겠어요?

"왜 여기서 내리라는 거죠?"

놀란 엘로디와 디미트리가 물었어요. 아주머니 한 분이 한숨을 쉬며 말했어요.

"조종사들이 가끔 우주 산책을 하거든. 한두 시간, 늦으면 일주일이나 있다가 돌아온단다. 물론 그때그때 다르지만 말이야."

"그때그때 어떻게 다른데요?"

깜짝 놀란 엘로디가 물었어요.

"조종사들 마음이지 뭐."

아주머니는 여행 잘 하라는 말을 남기고 사라져 버리셨어요.

디미트리는 엘로디의 손을 잡고 걸었습니다. 멋진 풍경을 구경하긴 했지만 호텔까지 걸어서 무려 일곱 시간이나 걸렸답니다.

그런데 이번에는 호텔에 놀랄 일이 또 기다리고 있었어요. 호텔에 방이 없다는 거예요.

“우리가 이틀을 더 머물 거라고 말했잖아요? 다른 사람에게 마음대로 우리 방을 내줄 권리가 있나요?”

디미트리가 화가 나서 따졌어요.

“뭐? 권리가 있냐고?”

호텔 주인은 얼굴이 붉으락푸르락해졌어요.

“아, 지구 여행객들은 왜 하나같이 이 모양이야? 그놈의 권리 타령 듣는 것도 이제 지겨워. 내 친구들이 모처럼 놀러 왔는데, 친구들을 위해서 내 마음대로 방도 못 뺀단 말이야?”

엘로디와 디미트리는 여행 책자를 뒤적거리다가 우연히 의무 없는 행성에 대해 알게 되었어요. 의무 없는 행성은 말 그대로 무언가를 해야 할 의무가 없는 곳이었답니다.

"야, 정말 멋진 곳이야! 학교도 안 가고 숙제를 안 해도 되는 데인가 봐!"

엘로디와 디미트리는 당장 의무 없는 행성으로 여행을 떠났답니다. 하지만 그 행성에 발을 디딘 순간, 책자 어디에도 씌어 있지 않았던 사실을 발견했지요. 그곳에서는 무엇이든 자기 마음대로 한다는 것이었어요.

영화관 주인이 늦잠을 자고 싶다면? 그럼 그날 영화 상영은 없는 거지요. 미니 우주선 조종사가 우주 산책을 떠나고 싶다면? 그러면 손님들은 걸어가야 하는 거고요. 호텔 주인이 친구들을 재우고 싶으면요? 방을 비워 줘야 한답니다.

굵은 팔뚝 근육의 권리

엘로디는 생각할수록 화가 났어요.

"우리 방을 내놓으라고 강력하게 따졌어야지, 그렇게 쉽게 물러서면 어떡해!"

엘로디는 디미트리 탓을 했어요.

"뭐라고? 너 주인의 험상궂은 얼굴 못 봤어? 체격은 또 얼마나 큰지, 왕년에 럭비 선수였나 봐. 그 팔뚝 근육은 어떻고? 나 같은 건 한 방에 납작해질걸."

디미트리는 방에 대한 권리를 계속 주장했다가는 무슨 꼴을 당할지 잘 알고 있었어요. 방을 얻기는커녕 눈두덩이 시퍼렇게 멍들었을걸요?

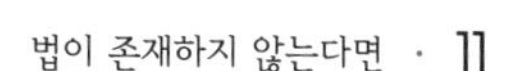

디미트리는 그제야 의무 없는 행성의 삶을 알 것 같았어요. 모든 권리는 팔뚝이 굵고 가장 힘이 센 사람에게 있다는 것을요.

호텔을 나가는 순간, 디미트리와 엘로디는 이상한 소리를 듣고 뒤를 돌아보았습니다. 호텔 주인이 바닥에 납작하게 쓰러져 있는 게 아니겠어요. 몸집이 거대한 한 남자가 자기 방 열쇠를 챙기려고 서 있었지요.

"우리 옆방에 묵던 사람이야."

엘로디가 속삭였어요.

"빨리 여기서 나가자!"

힘센 사람이 있으면 항상 그보다 더 힘센 사람이 있게 마련입니다. 물론 그날 이 호텔에서 권리의 주인은 바뀌었지요. 권리는 힘센 사람의 차지가 되었답니다.

언젠가 다시 힘센 사람이 나타나면 권리를 차지하게 되겠죠. 그리고 그보다 더 힘센 사람이 나타나면 다시 그 권리를 넘겨줄 수밖에 없을 테고요. 그러고 보면 "권리를 가진다"는 것이 이 행성에서는 아무런 의미가 없답니다. 권리가 곧 힘이니, 권리의 주인은 언제든지 바뀔 수 있으니까요.

말하자면 이곳은 의무도 없고, 권리도 없는 행성인 셈이지요.

내일 숙제 있니?

“내일 숙제 있니?”

일주일에 이 말을 두세 번 이상 안 듣는 사람이 있을까요? 마치 돌림노래처럼 저녁마다 귀에 못이 박히게 듣는 질문입니다. “네” 하고 대답하고 나면 바로 다음 이야기가 따라 나오지요. “근데 여기서 뭘 꾸물거리고 있는 거니? 서둘러, 어서 숙제하러 가야지! 저녁 먹기 전까지 끝내!”

그날따라 숙제가 없어서 “아니오, 숙제 없는데요”라고 대답했다고 쳐요. 그러면 당장 이런 말이 튀어나올걸요? “뭐? 숙제가 없다고? 숙제가 왜 없어? 다시 한 번 알림장을 확인해 봐.” 알림장에 숙제가 없다는 것을 확인한 후에도 질문은 계속될 거예요. “네가 선생님께서 숙제 내주실 때 다미앙이랑 노닥거리고 있었던 게 틀림없어. 스테파니한테 전화해 보면 분명 숙제가 있다고 얘기해 줄 거야."

설거지, 방청소 혹은 강아지 산책시키기는 적당히 핑계를 대고 안 할 수도 있어요. 하지만 숙제를 피하는 건 완전 불가능하죠. 바로 그것 때문에 아주 어려서부터 숙제라는 낱말을 좋아하지 않는지도 몰라요.

아빠, 엄마, 선생님

"벵자맹, 너 운동장에서 뭐 하니? 얼른 교실로 들어가거라!"

"하지만 선생님이 나가도 된다고 하셨다고요."

"아빠, 나 롤러블레이드 타러 가도 돼요?"

"그럼, 하지만 네 방 청소부터 하고 가렴."

"누가 후식으로 먹으려고 만든 사과 파이에 손 댔니?"

"할머니가 한 조각 먹어도 된다고 하셨어요."

"텔레비전 봐도 돼요?

"숙제 끝낸 다음에."

외출할 권리, 텔레비전을 볼 권리, 학교 숙제를 해야 할 의무, 침대에서 책을 읽을 권리, 그리고 10시에 잠을 자야 하는 의무, 친구 집에 가서 놀아도 되는 권리…. 권리와 의무는 셀 수 없이 많지요. 그런데 어린이들의 권리와 의무는 다른 사람에 의해 주어지는 것입니다. 이를테면 부모님이나 할머니 할아버지, 선생님 등등.

어른들은 아이들의 의무와 권리를 정해 놓지요. 아이들에 대한 책임이 있기 때문이랍니다. 또 어른들에게도 아이들에 대한 의무가 있어요. 아이들을 보호할 의무, 정신적 · 육체적 폭력에서 보호할 의무, 잘 보살필 의무, 잘 놀아 주고 가르치고 좋은 교육을 받게 하며 사랑과 존중으로 양육할 의무 말이에요.

누가 너에게 권리를 주었니?

"아빠, 누가 아빠에게 반바지를 입을 권리를 주었나요?"

아빠는 눈이 휘둥그레져서 라파엘을 쳐다보았습니다. 왜 라파엘이 이런 질문을 하는지 생각해 보았지요.

사실 라파엘은 오늘 학교에 반바지를 입고 가고 싶었답니다. 그런데 엄마가 반바지를 못 입게 했거든요. 바람이 많이 불었기 때문이죠. 엄마는 모래가 날려 다리를 따끔거리게 할 거라고 하셨어요.

"그런 권리는 누가 주는 게 아니란다."

아빠가 대답했어요.

"그냥 내가 입고 싶은 대로

입는 거지."

저녁이 되어 아빠는 세금 신고서를 작성하다가 뭐가 못마땅하신지 계속 화를 내셨어요.

"아빠, 아빠한테 이걸 하라고 시킨 나쁜 사람이 누구예요?"

라파엘이 물었습니다.

그러자 아빠가 웃으며 말씀하셨지요.

"누가 시켜서 하는 게 아니야. 법으로 정해져 있는 거지. 일을 하는 사람들은 누구나 세금 신고를 할 의무가 있거든."

사람들은 오랫동안 라파엘과 같은 생각을 해 왔어요. 누군가 위에서 사람들에게 이래라 저래라 명령하는 사람이 있다고 말이에요. 말하자면 법과 의무를 정하는 권력을 가진 사람이죠.

사실 과거에는 국민들의 삶과 죽음을 결정하는 독재자가 있었어요. 법을 마음대로 정하는 왕도 있었고요. 또 어떤 종교 지도자들은 신의 뜻을 내세워 사람들에게 권위를 휘두르기도 했지요.

이와 같이 다른 사람들의 의무와 권리를 혼자 마음대로 정하는 사람을 폭군이라고 부른답니다.

법은 의무와 권리

* 'Loi'는 '법'이라는 뜻입니다.

"자동차를 운전할 때에는 반드시 안전벨트를 매야 합니다."

우리나라에는 안전벨트를 하지 않으면 안 된다고 정해 놓은 법이 있어요.

"아이가 태어나면 시청에 가서 출생신고를 해야 할 의무가 있습니다."

우리나라에는 아이의 출생 신고를 하는 게 법으로 정해져 있답니다.

모든 나라에는 국민들이 지켜야 할 의무가 있어요. 의무는 법으로 정해져 있지요.

“저는 열아홉 살입니다. 저는 자동차를 운전할 권리가 있습니다.”

자동차를 운전하도록 허락하는 법이 있어서 운전을 할 수 있는 거랍니다.

“여기서는 담배를 피워도 됩니다. 저기서는 주차를 해도 됩니다. 이제 나는 투표할 권리가 생겼습니다. 등등.”

담배를 피워도 되는 장소와 주차를 할 수 있는 장소가 법으로 정해져 있지요. 선거에서 투표할 수 있는 권리를 가지는 나이도 정해져 있고요.

모든 나라에는 국민들이 지켜야 할 의무가 있어요. 의무는 법으로 정해져서 모두가 지켜야 한답니다.

파란불, 빨간불

"쥐스틴은 학교에 혼자 가네요!"

"당연하죠, 혼자 등교하는 것을 얼마나 좋아하고 자랑스러워 하는데요! 학교가 집에서 멀지도 않거든요. 그리고 쥐스틴은 조심성이 많아서 괜찮아요."

"우리나라에서는 아이 혼자 학교에 가게 하면 안 돼요. 아이들은 항상 보호자와 함께 다녀야 해요. 학교에 갈 때에도 마찬가지고요."

어떤 나라에서는 자동차 운전자들이 차를 아주 빠르게 몰아요. 속도 제

한이 없기 때문이죠. 차가 정지 신호도 무시하고 마구 달리기 때문에 파란불이 들어와도 마음 놓고 길을 건널 수가 없답니다. 사람들이 걸어 다니는 인도나 보행자 전용도로도 없고요. 바로 이런 이유 때문에 아이 혼자 학교에 보내지 않는 거예요.

쥐스틴이 사는 나라에는 교통 규칙이 있고, 쥐스틴은 그 규칙을 잘 알고 있어요. 신호등에 파란불이 들어오면 차들이 멈추기 때문에 건널목을 건너가도 돼요. 빨간불일 때에는 자동차가 지나가기 때문에 기다려야 해요. 그리고 사람은 인도로, 차는 차도로 다니도록 정해져 있답니다. 물론 자동차와 오토바이는 인도로 다녀서는 안 되지요.

이제 쥐스틴이 왜 혼자 학교에 가도 되는지 알 것 같아요. 바로 쥐스틴과 자동차 운전자들이 갖고 있는 의무와

권리 덕분에 자유로울 수 있는 것이지요. 그러니까 지켜야 할 의무도 없다면, 누릴 권리도 없는 거랍니다. 만일 아무런 권리가 없다면 결코 자유로울 수가 없겠지요. 결국 권리와 의무는 우리의 자유를 지켜주는 든든한 수호자입니다.

투표권과 투표할 의무

"너, 누구한테 투표할 거야?"

알프레드가 로랑스에게 물었어요.

"나는 투표 안 해."

"왜? 아직 열아홉 살이 안 되어서 못 하는구나?"

"아니, 나도 투표할 수 있는 나이야, 하지만 하지 않는 거야."

"너무한 거 아니야? 국민의 의무는 지켜야 하잖아."

알프레드가 비난했어요.

"무슨 의무? 투표는 의무가 아니야, 무슨 소리 하는 거야?"

로랑스가 말도 안 된다는 듯이 따졌어요.

알프레드는 자기 나라의 법을 아주 잘 알고 있어요. 그래서 로랑스 말이 맞는다는 것을 알지요. 그 나라 법에는 투표할 의무가 없거든요. 그렇지만 알프레드는 투표가 국민의 의무라고 생각합니다. 비록 법으로 정해져 있지는 않지만 나라의 중요한 일을 결정하는 것이니 국민의 한 사람으로서 참여해야 한다고 믿는 것이지요.

알프레드는 모든 사람들이 자기 생각처럼 의무적으로 투표를 하는 게 옳다고 생각해요. 언젠가는 나라 법이 바뀌어 투표가 의무가 될 거라고 말이지요. 하지만 그 전까지 알프레드는 아무에게도 이 의무를 강요할 수 없습니다. 단지 스스로 알아서 투표하도록 할 뿐이지요.

마리의 비밀

"메멧, 너한테 내 비밀을 얘기해 줄게. 하지만 먼저 아무한테도 말하지 않겠다고 약속해. 무슨 일이 있어도 약속을 지키겠다고 말이야."

메멧은 마리가 자기를 믿고 비밀을 얘기하고 싶어 하자 기분이 좋았어요. 하지만 잠시 머뭇거렸답니다. 친한 친구 오스카에게 과연 얘기를 안 할 수 있을지 자신이 없었거든요.

메멧은 자유가 있어요. 약속을 하지 않을 자유와 약속을 할 자유, 비밀을 듣지 않을 자유와 비밀을 들을 자유 모두가 있습니다. 누구도 어떻게 하라고 메멧에게 강요하지 않아요. 메멧 스스로가 결정하는 것이지요.

"약속해, 맹세해. 절대로 말 안 할게. 오스카에게도."

메멧은 결국 약속을 했습니다. 마리는 메멧의 귀에 대고 비밀을 털어놓았어요.

"정말이야? 어떻게 그럴 수가 있어?"

메멧이 놀라서 되물었어요.

비밀을 듣기 전까지 메멧은 마리에 대해 어떤 의무도 없었어요. 하지만 이제는 달라졌습니다. 비밀을 지키겠다는 한 가지 의무를 스스로 선택했기 때문이지요.

사람들은 흔히 의무는 높은 사람이나 선생님, 부모님, 경찰, 판사 같은 다른 사람들이 준 것이라고만

생각합니다. 하지만 잘 생각해 보면 대부분의 경우 의무는 스스로 만든 거예요. 누구에게나 스스로 의무를 만들 자유가 있답니다.

물론 메멧은 당장 마리의 비밀을 누군가에게 얘기하고 싶어 좀이 쑤시겠지요. 특히 어릴 적부터 친한 오스카에게요. 생각해 보면, 우리의 자유 의지와 반대되는 의무를 우리 스스로 만들어 낸다는 것이 정말 우스워요.

메멧과 마리 사이에는 약속이 생겨났어요. 마리의 비밀을 들은 메멧은 약속대로 그 비밀을 혼자만 알고 있어야 해요. 이와 같은 약속을 우리는 계약이라고 부른답니다. 메멧과 마리는 아무것도 종이에 쓰지 않았고 서로 도장을 찍거나 사인을 하지도 않았지요. 하지만 둘 사이에는 계약이 이루어졌답니다.

클레망스와 알리스의 우정

학교 수업이 끝났을 때, 기욤이 클레망스를 불렀어요. 자기 집에 가서 함께 DVD를 보자는군요. 좋아! 클레망스는 뛸 듯이 기뻤지요. 기욤이 자기를 집에 초대해 주기를 얼마나 기다렸는지 몰라요! 그런데 갑자기 클레망스는 머뭇거렸어요. '알리스를 어떡하지?' 알리스가 오늘 학교에 안 나왔거든요. 무슨 일이 있는지, 아니면 몸이 아픈지 걱정이 되었지요.

"알리스 집에 가 봐야 하지 않을까?"

클레망스는 혼잣말로 중얼거렸어요.

"내일은 학교에 나오겠지? 알리스한테 오늘 배운 시를 복사해 줘야 하는데."

클레망스는 약간 귀찮은 생각도 들었어요. 기욤의 집에 가고도 싶고, 정말 어떻게 해야 좋을지 결정할 수가 없었답니다.

알리스와 친한 클레망스는 알리스에 대한 약속을 지켜야 한다는 느낌이 듭니다. 물론 알리스는 “내 친구라면 이걸 하고, 이걸 하지 말아야 해”라는 식의 얘기는 한 적이 없어요. 하지만 클레망스는 기욤네 집에 가는 게 망설여졌지요. 알리스와의 우정이 그런 의무감을 만든 거랍니다.

아무도 무인도에서 혼자 살고 싶은 사람은 없을 거예요. 사람들은 함께 어우러져 살아요. 서로에 대한 약속을 지키며 힘이 돼 주고 서로 의지할 수 있기 때문이에요. 마치 서로서로 계약이 되어 있는 것처럼 살아가지요. 함께 살기 때문에 서로에 대해 의무가 생기는 거랍니다.

이게 내가 원하는 거야!

"고맙긴 한데, 영화관에 못 가. 집에서 공부해야 하거든. 올 1년 동안은 토요일 저녁에만 외출하기로 했어."

미르카는 전화를 끊고 책상에 앉았어요. 저녁을 먹고 나서 잠시 쉰 다음에 저녁 10시 30분까지 공부할 거예요.

"특히 텔레비전은 절대 켜면 안 돼."

미르카는 스스로에게 다짐하듯 말했어요.

"내일 일찍 일어나려면 일찍 자야지."

그런데 저녁 식사 시간에 깜짝 놀랄 일이 벌어졌어요. 미르카의 여동생 클레르가 생일 선물로 사 달라고 조르던 운동화를 갖지 않겠다고 말했기 때문이에요.

"하지만 너 그 운동화 꼭 갖고 싶다고 했잖아!"

아빠가 놀라며 말씀하셨어요.

"뉴스에서 봤는데, 일곱 살짜리 어린이들이 공장에서 신발을 만든대요. 정말 불쌍해요. 그걸 알고 나니 그 신발을 못 신겠어요!"

미르카와 클레르는 공통점이 있습니다. 둘 다 의무를 위해서 권리를 양보한다는 점이지요. 토요일 저녁에만 외출하는 것, 매일 저녁 네 시간씩 공부하는 것, 저녁 먹고 잠깐 휴식 시간을 갖는 것, 텔레비전을 보지 않는 것, 좋아하는 신발을 사지 않는 것 모두 스스로 선택한 일이지요.

이 의무와 권리들은 미르카와 클레르 모두 스스로 자신에게 준 것입니다. 왜냐하면 둘 다 원하는 목표가 있기 때문이지요. 미르카는 건축가가 되기 위해 시험에 합격하기를 원하고, 클레르는 아이들이 공장에서 일하는 세상이 사라졌으면 좋겠다는 목표가 있는 것입니다.

인간은 아무런 생각도 없이 그저 하루하루 살아가지 않아요. 누구나 꿈이 있고 그것을 이루고 싶어 하지요.

달성하고 싶은 목표가 있고 무척 중요하게 생각하는 과제가 있어요. 이런 이유 때문에 우리는 의무와 권리를 스스로 만들어 내는 것이랍니다.

초록색 외투의 아주머니

폴린은 돈을 찾으러 은행에 갔어요. 다행히 줄 서 있는 사람이 없었습니다. 초록색 사과 색깔의 요상한 외투를 입은 아주머니 한 분뿐이었지요. 아주머니는 카드를 가방에 집어넣은 뒤 폴린에게 자리를 비켜 주었어요. 폴린은 현금지급기에 카드를 넣고 비밀번호를 눌렀어요. 다시 20유로를 누른 다음 돈이 나오길 기다렸지요. 그런데 이게 어떻게 된 일일까요? 벌써 돈이 나와 있는 게 아니겠어요!

"산타클로스 지급기네!"

폴린은 돈을 세면서 신이 났어요. 자그마치 100유로나 되었답니다! 영수증을 확인해 보니 폴린이 찾은 돈은 20유로가 분명했어요. 게다가 뒤이어 20유로가 또 기계에서 나왔습니다.

폴린은 금방 이유를 알아냈어요. 폴린 앞에 있던 아주

머니가 돈을 챙기는 걸 깜빡하신 게 틀림없어요.

폴린은 얼른 주위를 둘러보았어요. 길 건너 저편에 초록색 외투를 입은 아주머니가 보였어요. 버스에 막 타려고 하는 참이었지요. 그 아주머니가 확실해요. 그런 색깔 외투는 흔하지 않으니까요.

폴린에게 어떤 일이 일어났는지 짐작할 수 있죠? 돈을 갖고 싶은 마음이 굴뚝같지만, 동시에 작은 소리가 폴린에게 말을 합니다. "아주머니가 버스를 타기 전에 얼른 쫓아가." 폴린은 초록색 외투의 아주머니를 잡으러 뛰어나갔을까요? 폴린은 자기 안에서 들리는 이 명령에 따릅니다. "얼른 가, 그렇게 해야 해."

~해야 해

사람들은 외출을 하려면 옷을 입어야 해요. 오토바이를 타려면 헬멧을 써야 하고, 면허증도 있어야 하죠. "의무적으로 해야 하는" 일은 법으로 정해져 있어요. 사람들도 그 법을 잘 알고 지킵니다.

제 시간에 도착해야 해, 잘 참아야 해, 인사를 해야 해, 양치질을 해야 해, 선생님께 드릴 말씀이 있을 때에는 손을 들어야 해…. 사람들은 수도 없이 많은 의무 사항을 우리에게 일러 주고 따르게 하지요.

여러 가지 의무 사항 중에는 자기 자신만 알 뿐 아무도 모르는 것이 있습니다. 바로 우리 마음속에서 스스로에게 정해주는 것이지요.

비행기 조종사는 갈증이 나서 도저히 참을 수 없었습니다. 마음 같아서는 물통에 남은 물을 혼자서 벌컥벌컥들이켜고 싶었지요. 지난 이틀 동안 물 한 모금 마시지 못했거든요. 그때 모래 위에 누워 있는 동료들이 눈에 들어왔습니다. 동료들은 사고 때문에 큰 부상을 입어 고통스러워 하고 있었답니다. 물을 마실 기운도 없을 정도로요. 조종사는 다친 동료들 모두에게 목을 축일 수 있게 해 주었어요. 구조대가 올 때까지 과연 살아남을 수 있을까요?

조종사는 갈증에 시달리며 이틀째 사막에서 구조를 기다리고 있습니다. 이런 상황에서는 누구나 사느냐 죽느냐의 문제에 부딪히게 되지요. 그래서 자신을 위해 물을 남겨 두고 싶은 마음이 있을 것입니다. 하지만 갈증이나 살고자 하는 마음보다 더 강한 것이 있답니다. 동료들을 걱정하는 마음, 물을 함께 나누고자 하는 마음이지요.

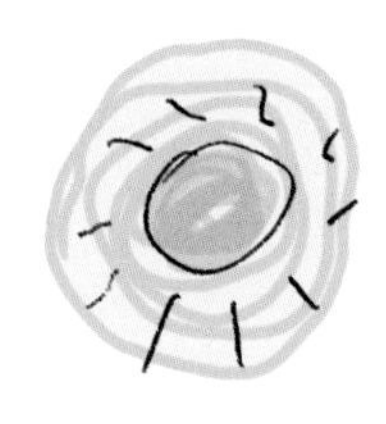

법을 지키는 이유?

"좀 더 빨리 달려 봐!"

"안 돼. 여긴 제한 속도가 50킬로미터야."

"하지만 아무도 없잖아. 경찰도 없고 단속 카메라도 없는걸."

"나도 제한 속도가 너무 느린 줄은 알아. 그래도 혹시 모르잖아. 잘못하면 벌금 물거나 면허 정지를 받을 거야."

피에르는 벌금을 물거나 면허가 취소될까 봐 제한 속도를 지킵니다.

"좀 더 빨리 달려 봐!"

"안 돼. 여긴 제한 속도가 50킬로미터야."

"하지만 아무도 없잖아. 경찰도 없고 단속 카메라도 없는걸."

"알아, 하지만 생각해 봐. 어떤 아이가 집에서 나와 좌우를 살피지도 않고 무작정 도로를 건너면 어떡해? 너무 빨리 달리면 차를 멈출 수가 없잖아."

야닉은 누군가 차에 치일까 봐 제한 속도를 넘지 않습니다.

피에르와 야닉은 운전자로서 자신의 의무를 다한 것입니다. 제한 속도를 지킨 것이지요. 하지만 두 사람이 속도를 지킨 이유는 매우 다릅니다. 피에르는 불이익을 당하고 싶지 않기 때문이고, 야닉은 다른 사람들의 생명을 위해서지요.

아무도 왜 법을 지키고 의무를 준수하는지 물어보지는 않아요. 단속 카메라 때문인지 아이들 때문인지 말이에요. 모두들 무서워서 법을 지킬까요? 아니면 다른 사람을 생각해서 지킬까요? 착해서일 수도 있고, 친절해서일 수도 있겠죠. 혹은 짜증은 나지만 하는 수 없이 지키기도 하고, 아니면 웃으면서 기꺼이 지킬 수도 있어요. 어쨌든 상관없어요. 지키는 게 중요하니까요.

밤의 재판소

법이 정해 둔 의무를 지키지 않을 때에는 벌금을 내야 합니다. 심하면 법정까지 갈 수도 있어요. 판사의 판결을 받아 감옥에 가는 수도 있고요.

상상해 보세요.

- 메멧이 오스카에게 비밀을 얘기하는 것을.
- 폴린이 돈을 바로 자기 주머니에 집어넣는 것을.

메멧과 폴린은 벌금을 물거나 감옥에 갈 위험은 전혀 없어요. 그들이 지켜야 할 의무는 마음의 의무이기 때문이지요. 어떤 법이나 경찰도 그 의무를 강요하거나 통제하지는 않아요.

마리와 마주칠 때마다 메멧은 슬그머니 눈을 피해요. 마음이 불편해서 마리를 똑바로 쳐다보기도 힘들지요. 집에 돌아와서도 그 생각만 하면 가슴이 답답해요. 오스카가 말하면 정말 큰일이라는 생각에 밤에 잠도 잘 오지 않는답니다.

메멧은 혼자만의 밤의 재판소에 서게 돼요. 그리고 스스로를 나무라는 소리를 듣는답니다.

폴린은 초록색 외투를 입은 아주머니 생각에서 벗어나지 못해요. 적어도 아주머니를 붙잡을 시간이 있었다고 자책을 한답니다. 그리고 밤이 되면 돈을 잃어버리고 발을 동동 구르고 있을 아주머니를 상상해요.

혼자만의 밤의 재판소에서요.

괴물 같은 법

그날따라 버스는 사람들로 만원을 이루고 있었어요. 빈자리가 하나도 없었답니다. 하지만 몹시 피곤했던 짐은 앉고 싶은 생각밖에 없었지요.

"일어서서 뒤로 가세요."

짐은 다짜고짜 한 여자에게 다가가 말했어요.

웬디는 움직이지 않았어요.

"일어서서 뒤로 가라고요!"

짐은 막무가내로 소리쳤어요.

짐은 두렵지 않았어요. 웬디를 자리에서 쫓아낼 권리가 있다는 것을 알기 때문이에요. 웬디는 경찰에 잡혀 갈 위험에 처했어요. 웬디도 일어나서 자리를 양보해야 한다는 것을 알아요. 버스의 앞자리는 백인만 앉을 수 있게 법으로 정해져 있거든요. 또 빈자리가 없을 경우 중간 자리도 백인에게 내주어야 해요. 짐은 백인이고,

● 웬디는 흑인이니까요.

믿고 싶지 않겠지만 이것은 실제로 있었던 이야기입니다. 미국 남부에서는 아주 오랫동안 이런 규칙이 법으로 정해져 있었습니다. 흑인은 버스 좌석에 앉을 수 없었고, 학교 교육을 받지 못했지요. 당연히 대학교에도 못 갔고요. 백인이 드나드는 가게나 식당에도 들어갈 수 없었어요. 그때의 법은 할 수 있는 것과 할 수 없는 것을 정할 뿐, 좋은 것과 나쁜 것은 구분하지 않았답니다. 법

은 허가할 것과 금지할 것을 정하고 의무와 권리를 정해 줍니다. 그런데 때로는 이 의무와 권리가 괴물 같을 때가 있습니다.

그는 인간적이다

"짐과 웬디의 이야기는 어떻게 끝났나요?"

폴이 물었습니다.

"그때 버스에서 한 아저씨가 벌떡 일어났단다. 짐의 앞을 턱 가로막고 서더니 웬디를 그냥 내버려 두라고 소리쳤지. 결국 짐은 다음 정류장에서 내려야 했어. 그 아저씨가 계속 노려보는 바람에 도저히 버스에 타고 있을 수가 없었거든."

"와우, 그 아저씨는… 음…"

폴은 뭐라고 해야 좋을지 생각했어요.

"그 아저씨는 참 인간적이시네요."

마침내 적당한 단어를 찾은 것 같군요.

“그 사람은 인간적이다”라는 말은 자세히 보면 참 이상한 표현입니다. 그 아저씨가 낙타도 아니고 반은 도마뱀, 반은 사람인 것도 아닌데 말이지요. 짐이 인간적이 아니라고 해서 개나 뱀이란 뜻은 결코 아닙니다. 사실 폴이 말하는 “그 아저씨는 인간적이다”라는 말은 그 아저씨가 인간으로서 인간답다는 뜻이에요. 각자의 권리를 존중하고 다른 사람들을 존중하는 의무를 다하는 사람이라는 것입니다.

세계인권선언

'모든 개인은 생명의 권리를 가진다.'

생명의 권리라니, 이게 무슨 말일까요? 사람이 살고, 살지 않고는 권리의 문제가 아닙니다. 살기 위해서 누군가의 허락을 받는다는 게 있을 수 있는 일인가요? 하물며 누구한테 허락을 받는다는 말입니까? 그렇다면 언제, 무슨 이유로 생명의 권리라는 말이 나왔을까요?

인류의 역사를 되돌아 보면 이 권리를 빼앗긴 사람들이 있었답니다. 제2차 세계대전이 일어나는 동안 독일의 나치는 수백만 명의 사람들을 그들이 유대인, 흑인, 장애인, 정신병자, 공산주의자, 노동운동가, 집시라는 이유로 무참히 죽였습니다. 그 사람들에게서 생명의 권리를 강제로 빼앗은 것이지요.

'모든 개인은 생명의 권리를 가진다.'

이 권리는 사람들이 쓴 것입니다. 세계인권선언은 모든 인간이 인간이기 때문에 누려야 할 권리를 설명하고 있습니다. 자유로울 권리, 안전할 권리, 건강을 보살필 권리, 좋은 음식과 옷, 집을 가질 권리, 교육을 받을 권리, 읽고 쓰고 셈할 수 있는 권리…

세계인권선언은 모든 사람들이 이러한 권리를 알고 인정하게 하기 위해 만들어졌답니다. 세계 어디서든 사람들이 살아가는 데 꼭 필요한, 살고 싶은 세상을 만들기 위한 선언인 것이지요.

아와, 캉텡, 카말, 보리스

아와는 말합니다.

"나는 내 언어를 말할 권리를 갖고 싶어요."

캉텡이 말합니다.

"나도 내 언어를 말할 권리를 갖고 싶어요."

카말은 말합니다.

"나는 내 언어를 말할 권리를 갖고 싶어요."

보리스가 말합니다.

"나도요!"

그리고 리콩도, 다비드와 해리, 슈샨도 모두 교실에서 자기 언어를 말할 권리를 갖고 싶어 합니다. 선생님이 세어 보니 모두 여덟 개의 다른 언어들입니다.

학생들은 제각기 자신들의 모국어로 말할 권리를 요구합니다. 안 될 이유는 없지요.

물론 아와가 세네갈어로 말하고, 캉텡은 불어로 말할 권리가 있어요. 카말은 아랍어를, 보리스는 러시아어를, 리콩은 중국어를, 다비드는 히브리어를, 해리는 영어를, 슈샨은 아르메니아 언어를 말할 권리를 갖고 있지요. 당연합니다. 모든 사람은 평등해야 하고 다른 사람이 갖는 권리라면 모두가 똑같이 가져야 하는 게 맞아요. 그렇지 않다면 그건 권리가 아니라 호의나 특권, 이익이라고 하겠지요.

그런데 만일 모국어로 말할 권리가 모두에게 주어진다면 교실이 어떻게 될지 상상해 보세요. 아무도 서로의 말을 이해하지 못할 거예요. 그러면 같이 공부하기 위해 원칙을 정해야 합니다. 모두를 위해 지켜야 할 원칙 말이에요. 또 각자에게 의무와 권리를 알려 주어야겠죠. 모두에게 동일하게 적용될 규칙이요. 물론 많은 사람들이 실망할 수도 있어요.

하지만 한 가지 권리를 포기하면 아와, 캉템, 카말, 보리스, 리콩, 다비드, 해리, 그리고 슈샨이 함께 공부할 수 있는 권리를 갖게 될 거예요.

나만의 철학 맛보기 노트

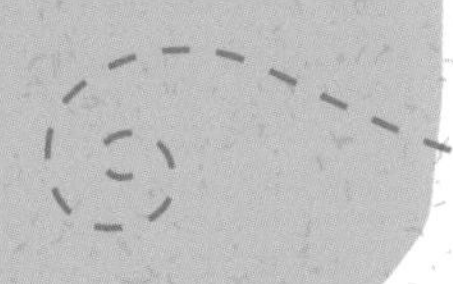

진짜 철학 맛보기

가끔씩 친구들 두세 명 또는 여럿이서 모여 영화를 보거나 놀이를 하지요. 또 발표 숙제를 준비하거나 음악을 듣기도 하고요. 때로는 친구들과 있으면서 특별히 무언가를 하지 않을 때가 있는데, 이럴 땐 모두가 관심 있어 하는 주제에 대해 대화를 나누어 보세요.

대화를 하다 보면 부모님, 선생님, 친구, 사랑, 전쟁, 부끄러움, 불공평 등 다양한 주제로 이야기가 이어져요. 그러면서 우리는 다른 세상을 꿈꾸지요!

그러다가 밤이 되어 혼자가 되면 그 주제에 대해 다시 생각합니다.

진짜 철학 맛보기

다른 사람들과 세상의 모든 것에 대해 이야기를 나눌 수 있다는 것은 정말 좋은 일이에요. 물론 자기 말만 하고 도무지 남의 이야기를 들으려고 하지 않는 사람들과 있으면 의견 차이를 좁히지 못해 화가 날 때도 있지만요.

하지만 의견이 다르면 좀 어때요! 우리가 함께 정한 주제에 대해 자유롭게 이야기하고 토론하는 것이 더 중요하지 않을까요? 자기 집이나 친구 집, 학교에서도 이야기를 나누면 어떨까요?

진짜 철학 맛보기

진짜 철학 맛보기에 성공하고 싶다면 몇 가지 주의할 것들이 있답니다.

- 대화 참여자 수는 10명 이내로 하는 것이 좋아요.
- 마실 음료와 간식을 미리 준비해 두면 좋고요!
- 바닥에 앉아도 좋고, 각자 편한 자세로 자유롭게 대화를 나누는 겁니다. 둥글게 빙 둘러앉아서 한가운데에 음식을 놓을 수도 있습니다.

진짜 철학 맛보기

- 대화 주제를 미리 정한 것이 아니라면 누군가가 나서서 여러 가지 주제를 제안할 수 있지요.

- 각자 가장 마음에 두고 있는 주제를 내놓습니다. 자신의 선택을 미리 말해서 다른 사람에게 영향을 주지 않도록 주의해야 해요.

- 가장 인기 있는 주제를 투표로 결정합니다. 한 사람당 한 가지 주제만 선택할 수 있어요.

- 가장 많은 표를 받은 주제가 바로 오늘의 대화 주제가 되는 것입니다.

진짜 철학 맛보기

상대의 말에 귀를 기울이고, 서로 싸우지 않으면서 나와 다른 의견을 받아들여야 합니다. 그리고 모두에게 말할 수 있는 공평한 기회를 주어야 해요. 그러려면 어떻게 해야 하는지 다음 내용을 읽어 보고 실천해 봅시다!

자, 이제 시작할까요?
한 시간 정도 대화를 나눠 보세요!
뜻깊은 하루가 될 거예요!

진짜 철학 맛보기

권리와 의무

과일 주스와 과자도 있고 대화의 주제도 벌써 준비되어 있군요! 오늘의 주제는 바로 '권리와 의무'입니다. 만약 대화를 바로 시작하기 어렵다면 다음과 같이 해 봅시다. 서로 멀뚱멀뚱 쳐다보기만 하고 아무도 말을 하지 않을 경우도 있을 테니까요.

- 7~9쪽에서 디미트리와 엘로디는 왜 의무 없는 행성으로 여행을 떠났을까요? 어떨 때 이 행성에 가고 싶어지나요? ______________________________

____

____

진짜 철학 맛보기

권리와 의무

- 26~27쪽에 나오는 로랑스는 왜 투표를 하려고 하지 않을까요? 알프레드의 생각처럼 투표할 의무가 법에 씌어 있어야 할까요?

- 28쪽에 나오는 메멧은 마리의 비밀을 지켜주겠다는 약속을 지켰을까요? 왜 메멧은 오스카에게 아무것도 말하지 않아야 한다고 느낀 걸까요?

- 36~37쪽에 나오는 폴린은 아주머니의 돈을 찾아줄 수 있었다고 생각하나요? 여러분이 폴린이라면 어떻게 했을까요? 폴린에게 얘기하는 마음속 조용한 목소리 “그렇게 해야 해”를 들어 본 사람이 있나요?

진짜 철학 맛보기

권리와 의무

친구들과 대화할 때 이 책을 활용해 보세요. 한 친구가 먼저 본문의 일부 또는 일화 한 편을 읽습니다. 그런 다음에 이와 비슷한 경험을 한 사람이 자신의 이야기를 들려줍니다. 그러고 나서 본문의 내용이 무엇을 의미하는지 서로 이야기를 나누세요.

스스로에게 질문을 할 수도 있고 다른 사람에게 질문을 할 수도 있어요. 질문에 대한 대답을 함께 찾아보세요. 확실한 대답을 찾기 어려운 질문도 있습니다. 왜냐하면 질문 속에 또 다른 문제들이 숨어 있거든요.

진짜 철학 맛보기

권리와 의무

몇 가지 예들을 생각나는 대로 적어 보면 다음과 같아요. 다음 질문에 전부 대답하려면 아마 몇 시간은 걸릴 거예요!

"법이 존재하지 않는다면 우리는 뭐든 하고 싶은 대로 다 할까요?"

"우리에겐 의무가 더 많을까요, 권리가 더 많을까요?"

"의무가 없는 권리가 있을까요?"

"법이 정하는 의무와 권리를 따라야 할까요?"

"어떤 것을 할 권리가 있는지는 어떻게 알 수 있을까요?"

이제 여러분이 대답할 차례예요!
철학 맛보기 시간!
여러분의 생각을 표현해 보세요!

내 생각은...

내 생각은 . . .

내 이야기는 . . .

철학 맛보기 시리즈

〈철학 맛보기〉 시리즈는 계속해서 출간될 예정입니다.

01 사람이 죽지 않으면 어떻게 될까요? – 삶과 죽음
02 돈은 마술 지팡이 같아요 – 일과 돈
03 시간을 우습게 볼 수 없어요 – 시간과 삶
04 힘센 사람이 이기는 건 이제 끝 – 전쟁과 평화
05 알 수 없는 건 힘들어요 – 신과 종교
06 이건 불공평해요! – 공평과 불공평
07 왜 남자, 여자가 있나요? – 남자와 여자
08 지식은 쓸모가 많아요 – 아는 것과 모르는 것
09 좋은 일? 나쁜 일? – 선과 악
10 거짓말은 왜 나쁠까요? – 진실과 거짓
11 우리는 자연 속에 있어요 – 자연과 환경 오염
12 내가 만약 어른이 된다면 – 아이와 어른
13 나는 누구일까요? – 존재한다는 것
14 대장이 되고 싶어요 – 대장이 된다는 것
15 내가 결정할 거예요 – 자유롭다는 것

★ 어린이도서관연구소 추천도서
★ 서울교육대학교 부설 초등학교 전 학년 권장도서
★ 아침독서운동추진본부 추천도서
★ 책따세 권장도서

16 우리는 왜 아름다움에 끌릴까요? – 아름다움과 추함
17 나를 이기는 게 진짜 성공이에요 – 성공과 실패
18 날마다 용기가 필요해요 – 용기와 겁
19 행복은 항상 눈앞에 있어요 – 행복과 불행
20 폭력으로는 해결할 수 없어요 – 폭력과 비폭력
21 두근거리면 사랑일까요? – 사랑과 우정
22 나는 내가 자랑스러워요 – 자부심과 부끄러움
23 말을 하는 것은 어려워요 – 말과 침묵
24 정신은 어디에 있나요? – 몸과 정신
25 난 찬성하지 않아요 – 찬성과 반대
26 인간은 왜 동물과 다른가요? – 인간과 동물
27 법이 존재하지 않는다면 – 권리와 의무
28 개미는 왜 베짱이를 돕지 않나요? – 부유함과 가난함
29 꿈은 이루어질까요? – 가능과 불가능
30 새끼 고양이가 죽었어요 – 기쁨과 슬픔

〈철학 맛보기〉 시리즈는 우리 주변에서 일어나는 일상의 일들을 생각해보는 '생활 철학'입니다. 어린이의 눈높이에 맞게 생활 속의 이야기를 들려주고 아이들 스스로 논리적 사고를 할 수 있도록 도와줍니다.